KB076773

의성어 노랫말놀이 동시집

어성애, 박경숙, 김차순, 류나경
김기선, 김지현, 한은숙, 남궁기순

상상나래
Book Publishers

차 례

프롤로그

나래PBL교육연구소의 기획으로 모음, 자음 말놀이 동시집에 이어 제 3탄 의성어 말놀이 동시집을 만들게 되었습니다. 그림책 연구가, 아동 문학가, 시인, 유아교육가, 동화구연가 등 다양한 경험을 가진 작가들이 참여하여 큰 도움을 주었습니다.

아이들과 함께한 현장에서의 경험이 재미있는 말놀이 동시집 제작의 씨앗이 되었다고 생각합니다. 아이들이 좋아할 수 있는 의성어를 찾기 위해 아이들의 행동을 관찰하고, 아이들이 웃음을 터뜨리는 곳으로 기웃거리며 소재를 찾고 다듬어 글로 엮었습니다.

의성어를 찾아보면서 우리나라 말의 재미를 한층 더 느낄 수 있었습니다. 어렸을 때 노래 부르던 노랫소리도 흥얼거리게 되고, 사물마다 신기한 말이 재미를 더 높여 주는 것을 알게 되었습니다. 단어를 강조하다 보니 말의 의미를 쉽게 이해하게 되고, 리듬 있는 단어에 흥겨운 어깨춤이 절로 나오게 됩니다.

어린아이일수록 의성어는 말문을 트이게 하는 효과가 높습니다. 모르는 말에 제스처가 곁들여지면 쉽게 알게 되듯이, 아이들에게 의성어는 매우 중요한 언어 전달 매체이기도 합니다. 우리말을 더욱 재미있고 아름답게 살려내는 말이 의성어입니다. 말을 통해 사물을 관찰하게 하고 자연스럽게 지각 능력도 키우게 됩니다.

좋아하는 신현림 시인의 〈연〉은 기분 좋은 웃음이 나오게 합니다.

실실실
웃으며 내가 실뭉치를 굴리니까

솔솔솔
솔바람처럼 풀려갔다.
솰솰솰
어느새 실뭉치는 다 풀려 하늘로 날아갔다.

이 간단한 동시는 연날리기하는 아이들의 신나는 모습을 그려냅니다. 동시는 아름다운 감정과 생각을 전달하며 동심으로 다가가 아이들에게 자주 들려주어야 할 말입니다. 말놀이는 언어 자체에서 놀이성을 가지고 즐기는 언어 놀이입니다. 말놀이를 주도했던 최승호 작가의 재미에 초점을 둔 연결형 말놀이는 어른이 봐도 재미있게 읽히는 구조로 되어 있습니다. 말의 의미 요소를 활용하여 다양한 변화를 주면서 어린 독자들의 흥미를 끌어들이는 어휘적 확장은 너무나 매력적인 요소입니다.

특히, 아이를 키우는 부모님들은 아이들과 함께 말을 주고받으면서 주의 집중할 수 있고, 새로운 말을 만들어내면서 상호작용하며 참여시킬 수 있다는 것이 말놀이 동시의 역할입니다.
의성어는 운율과 반복을 잘 활용합니다. 같은 소리나 비슷한 소리로 반복하면서 운율을 느끼다 보니 짧고 간단한 말놀이에도 재미가 있고, 간단한 손짓에도 흥미가 높아집니다. 손짓과 몸짓의 움직임을 흉내 낸 말, 세상의 온갖 소리를 흉내 내는 말, 의태어와 의성어의 쓰임은 어린 독자들에게 사랑받고 널리 쓰이고 불리기를 기대합니다. 흥얼거리며 노래 부르는 동요처럼 재미있는 의태어, 의성어의 흉내를 내는 말들을 7개의 자음과 쌍자음 5개에서 찾아 표현해 보았습니다. 우리나라 말의 재미를 느낄 수 있는 것은 다양한 말놀이를 흥미롭게 표현할 수 있을 때라고 생각합니다. 아이들을 위해 총 80편으로 구성된 의성어 말놀이 동시를 통해 마음이 편안해질 수 있기를 바랍니다. 말놀이의 살아있는 언어로 어린이들의 언어 발달을 돕고, 놀이로 즐기는 가장 좋은 언어적 표현이 되며, 상상력과 창의적인 활동을 끌어내길 기대해 봅니다.

새들은 날아다니고 물고기는 헤엄을 치고
아이들은 놀이를 한다.
- 개리 랜드래스 -

나래PBL교육연구소 남궁기순 소장

어성애

중앙대학교에서 박사 학위를 받고 아동문학가, 작가로 활동하고 있다. 유아교육을 전공해서 어린이집 원장과 중앙대학교 퍼스텝연구소 수석 연구원이다.

동시집으로는 『꿈꾸는 산책』, 『아가는 궁금하다』, 『천사의 언어』, 『우리 아이들』, 『가을이 오는 소리』, 『말놀이 동시집(자음편, 모음편)』 등 다수.

ㄱ

개굴개굴
고래고래
고양이 야옹야옹
구구구 구구구
귀뚤귀뚤

ㄴ

나나나나
날름날름 쩝쩝
냠냠냠
닐리리야 닐리리야
닝가닝가 닝가야

개굴개굴

개굴개굴 개구리
주룩주룩 비가 오면 온몸이 떨려요

개굴개굴 노래 부르며
비가 와서 신이 나요

물웅덩이에 앉아서
개굴개굴 목청 높이 노래 불러요

비가 오면 복어처럼
신나게 춤을 춰요

개굴개굴 소리에 맞춰
우리도 함께 뛰어 봐요

고래고래

고래가 먹이를 놓쳤다고 고래고래
물개가 짝을 찾아 달라고 고래고래

고등어가 조용히 하라고 고래고래
고래가 너나 조용히 하라고 고래고래

고래고래 소리치지 말고
조용조용 말하라고 고래고래
그래 알았다고 고래고래

고양이 야옹야옹

고양이 엄마는 어디 있을까요?

야옹야옹 울고 있어요.
배고프니 야옹야옹 소리쳐요

고양이 엄마 어딨을까요?

찾았어요 야옹야옹
고양이 엄마는 최고야

야옹야옹
엄마는 항상 우리 곁에 있고

사랑과 관심을 주는 최고의 엄마
고양이 엄마는 정말 최고야

구구구 구구구

배고파서   구구구
배불러서   구구구

엄마 보고 싶어 구구구
동생과   싸워서 구구구

구구구 많이 속상해
구구구   기분좋아

보고 싶은 우리 엄마 구구구
나뭇가지 위에 비둘기 형제 하루 종일 구구구

귀뚤귀뚤

귀뚤귀뚤 귀뚤귀뚤
밤마다 쩌렁쩌렁 울어대는 귀뚜라미
귀뚤귀뚤 귀뚤귀뚤
목이 터져라 우는 귀뚜라미

귀뚤귀뚤 귀뚤귀뚤
밤마다 울지 말고 나처럼 날개 비벼
싹싹싹 싹싹싹
날개를 퍼덕이며 비벼대는 메뚜기

나나나나

나비와 개나리가
노래 연습을 해요
도레미파솔라시도
계이름에 맞춰
발성 연습을 해요

나비는
점점점 위로
나나나나나 나비
개나리는
점점점 아래로
나나나나 개나리

날름날름 쩝쩝

와글와글
으악, 날파리다!

날름날름 쩝쩝
바나나
날름날름 쩝쩝
나물
날름날름 쩝쩝
생선

날파리들이 와글와글
날름날름 쩝쩝

냠냠

부뚜막 위에 고양이 냠냠
입맛 다시며 냠냠
음식 뚜껑 달그락달그락
고양이 혀 입맛 다시며 냠냠

솥뚜껑 위에 고양이 쩝쩝쩝
까슬까슬 혀 술렁술렁 냠냠
솥뚜껑 덜그럭덜그럭
고양이 혓바닥 입맛 보면서 냠냠

닐리리야 닐리리야

너구리야 뭐하니
노래 부르고 있어 닐리리야 닐리리야

큰소리로 닐리리야 노래해
함께 신나게 노래 부르자

신나게 소리 높여 닐리리야 닐리리야
뛰면서 소리 높여 닐리리야

함께 하며 소리 높여 닐리리야
같이 노래하니 행복하다

닝가닝가 닝가야

닝가닝가 신나게 춤을 추며
닝가닝가 딸그락딸그락

길쭉한 노란 젓가락, 동그란 빨간 숟가락
닝가닝가 딸그락 딸그락

길쭉길쭉 길죽이 노란 젓가락
닝가닝가 닝가야

동글동글 빨간 숟가락
닝가닝가 닝가야

길쭉이와 동글이 신나게 춤을 추며
닝가닝가 닝가야 딸그락딸그락

17

박경숙

2008년 대경문학회 백일장에서 시부문 입상을 하면서 문학계에 발을 내디뎠습니다. 20여년간 아동문학을 말로 전달하는 일을 하다가 요즘은 글로 전달하는 일도 하고 있습니다.

저서 『바람과 구름』, 『모음 말놀이 동시집』, 『자음 말놀이 동시집 』, 『한 여름 밤의 가출』, 『타임머신이 아그작아그작』, 『방구뿡삼총사』, 『영원한 껌딱지』, 『행복의 레시피』 등이 있습니다.

ㄷ

달그락 달그락
두근두근
두런두런
드르렁 드르렁
딩동 딩동

ㄹ

레이 레이
룰루랄라
리랑 리랑 아리랑
릴리리아 릴리
링딩동 링딩동

달그락 달그락

앞에 가는 기찬이랑 같이 가려고 뛰었다
다다다다 달그락 달그락
등 뒤에서 달려오는 내 책가방
달그락달그락 달그락달그락

더 세게 달려가면 딸그락딸그락딸그락딸그락
거북처럼 기어가면 달 그 락 달 그 락
토끼처럼 뛰어가면 달달달그락 달달달그락
책가방이 따라쟁이 동생 같다

두근두근

새로 바뀐 짝꿍하고 눈이 마주쳤다
가슴이 두근두근
자꾸자꾸 두근두근
두근두근 소리 들릴까
두 손으로 감싸면
두근두근 소리 더 커져
두 발 콩콩 두드리다
선생님께 야단 맞아
두근두근 더 커져 버렸다

두근두근 심장아, 그만 얼음 해 주라

두런두런

가방 속에 국어책이 ㄱㄴㄷㄹ ㅏㅑㅓㅕ
심심하다 두런두런

수학책이 1234 5678
재미없다 두런두런

음악책이 도레미파 솔라시도
놀고싶다 두런두런

머리 밑에 깔린 일기장
아야아야 무겁다고 두런두런 두런두런

드르렁 드르렁

드르렁 드르렁
아빠 콧구멍 괴물 출현
공격이다 퍽!
쿠우울ㅋ

드르렁 드르렁
아빠 콧구멍 괴물 또 출현
공격이다 퍽!
쿠우울ㅋ

....
쿨쿨 쿨쿨
드르렁 드르렁
쿨쿨 쿨쿨
콧구멍 괴물만큼 센 꿈나라 소리
쿨쿨 드르렁 쿨쿨 드르렁
밤새도록 합주해요.

23

딩동 딩동

딩동
1층입니다
문이 닫힙니다

딩동
27층 입니다
문이 닫힙니다

딩동
5층입니다
문이 닫힙니다

딩동
1층입니다

하루내내 딩동딩동 인사하는
엘리베이터

레이 레이

텔레비젼에서 아저씨가
레이레이 레이레이 리

모자 쓰고 기타 치며
레이레이 레이레이 리

신이나서 나도 함께
레이레이 레이레이 리

스위스 알프스 산에 하얀 눈이 날리며
요들 레이레이 요들 레이 리

룰루랄라

우리 동생 기분 좋을 때
엉덩이 실룩이며 하는 노래
룰루랄라 룰루랄라

음도 없고 뜻도 없이
뒤뚱이며 하는 노래
룰루랄라 룰루랄라

모두 모두 실룩대며
룰루랄라 룰루랄라

우리 동생 기분 좋아
룰루랄라 룰루랄라

리랑 리랑 아리랑

리랑 리랑 아리랑
리랑 리랑 아라리요
리랑 리랑 아리랑 고개를
리랑 리랑 넘어간다
리랑 리랑 넘어간다

릴리리아 릴리

백합꽃이 춤을 춘다
릴리리아 릴리

바람따라 춤을 춘다
릴리리아 릴리

햇살따라 춤을 춘다
릴리리아 릴리

나도 따라 춤을 춘다
릴리리아 릴리

링딩동 링딩동

아이돌이 되고 싶어
링딩동 링딩동 링디기 딩디기 딩딩딩

샤이니와 춤을 춰요
링딩동 링딩동 링디기 딩디기 딩딩딩

앞으로 뒤로 옆으로 폴짝
링딩동 링딩동 링디기 딩디기 딩딩딩

춤보다 노래가 더 신나서
링딩동 링딩동 링디기 딩디기 딩딩딩

김차순

세 아들을 둔 엄마다. 세 아이와 함께 시작했던 독서모임을 20년이 지난 지금까지도 하고 있다. 어린이 독서지도, 엄마책상갖기 독서모임과 아버지 독서모임 연구원 활동을 하였다. 독서는 나에게 성장과 성숙을 만들어 주는 디딤돌이 되었다. 현재는 품성독서경영지도자로써 책과 품성으로 꿈을 선물하고자 청소년 지도와 그림책하브루타지도자로 활동하고 있다.

저서는 『그림책이 있는 마음 우체통』, 『그림책으로 나를 에세이하다』이 있다.

맴맴

숲속 그곳에 가면
어디선가 우렁찬 소리

맴에 맴에 맴맴
지그르 지르르 치악
맴에 맴에 맴맴

배가 울룩불룩
날개가 파르르
조심스레 다가가니

나도 숨을 죽이고
매미도 숨을 죽이고
고요해진다

노랫소리 멈출 수 없지
한발 두발 뒷걸음

다시 합창소리 울린다
찌르르 찌르르리
매에에매에에 맴맴
지그르 지그르 치악
맴맴 맴맴 맴맴 맴맴

멍멍

멍멍
귀여운 강아지 멍멍
맑은 하늘 아래 멍멍

소리가 퍼져나가면
마음도 함께 즐거워
멍멍 멍어멍 멍멍

우리의 친구
언제나 함께하며 이야기를 하네
멍 멍 멍 멍 멍 멍

즐거운 하루를 보내며
강아지 다정한 목소리
멍멍

오늘은
멍멍 멍멍
bow-wow woof
야옹야옹
meow
흥 huh
까꿍
peek-a-boo

우리 모두 소풍을 가요

메롱

서수 선생님은
왜 메롱을 하고 있는지

따라쟁이
아기때 해치

메롱 메롱 메롱
혀 내밀고

해치야 어디 있니
메롱 메롱 메롱

나와라 해치야
메롱 메롱 메롱
어디어디 숨었니

미주알고주알

비오는 날
빗소리가 내 마음을 적셔요
미주알고주알 이야기 하고 싶대요

비오는 날
나는 창문을 열어요
내 얼굴을 맞대고 미주알고주알 속삭여요

비오는 날
친구와 함께 걸어요
미주알고주알 하하호호
비와 함께 걸어요

비오는 날
엉금엉금 달팽이가 기어 나와요
미주알고주알
이야기하는 다정한 친구가 되어

비오는 날
지렁이가 꿈틀꿈틀 기어나와요
미주알고주알
땅속 친구들 소식 전해주어요

나는 누구의 소식을 전할까?
미주알고주알 우리들의 이야기
전해볼까요?

미주알고주알 미주알고주알
밤새도록
미주알고주알

바스락 바스락 1

바스락 바스락
누군가의 발걸음이 되어
바스락 바스락

눈물이 되어
바스스스라락
나무와 이별하는 것이 슬퍼서
바스스스라락 바스스스라락

새 봄 새약속 기다리며
다시 만날 때까지
너를 잊지 않을거야
바스락 바스락 바스락 바스락

바스락 바스락 2

낙엽 밟는 소리
바스락 바스락
발끝으로 지그시 밟는다
바스락 바스락

청설모 뛰어 오른다
바스락 바스락
폴짝폴짝 밟는다.
바스락 바스락

다람쥐 도토리 물고 달린다
바스락 바스락

가을 바람에
낙엽 밟는 소리
바스락 바스락

엄마 아기 손을 맞잡고
낙엽 위를 걷는다
바스락 바스락 바스락 바스락

사랑의 노래 되어
바스락 바스락 바스락 바스~락

벌컥벌컥

헉헉 헐레벌떡
뜨거운 태양아래 달려오는 발소리
냉장고 문을 열린다

벌컥 벌컥 벌커어컥
숨도 고르지 못하고

한 모금 두 모금
모두 마셔버렸다
벌컥벌컥 벌컥벌커어컥

카아야약
긴 트림도 한 모금

보글보글

냄비 속에 구수한 된장찌개
보오글보오글 보글보글
끓어요

물이 끓으면 거품이 생겨요
보글보글 뽀글뽀글
뽀그글 뽀그르글 뽀그르글
뽀글뽀글 뽀그르글
보글 보오글보오글

호박 당근 양파 춤을 추어요
보오글보오글 보글보글
뽀오글 뽀글뽀글
냄비 밖으로 넘쳐요

보글보글 짝짝

보글 짝 지글 짝
주먹 쥐고 손를 펴서 보글보글 짝짝
주먹 쥐고 손을 펴서 지글지글 짝짝
우리 아기 짝짝

보글 짝 지글 짝
양손 맞대어 보글보글 짝짝
양손 맞대어 지글지글 짝짝
우리 아기 짝짝

붕붕 부르릉부르릉

붕붕붕
아주 작은 자동차 꼬마 자동차
붕붕붕 꽃향기를 맞으면
힘이 솟는 꼬마 자동차
붕붕붕… 붕붕…

여린 입술이 부르루퉁 해지도록
부르고 불렀던 그 노래
붕붕붕 아기 자동차

힘이 솟는 키 큰 자동차
부루릉 부르릉 부루릉 부르릉
랄랄라 랄랄라
키 큰 붕붕차 타고 나들이 가요

류나경

한국외국어대학교 교육대학원 유아교육학전공 석사
부산시 소재 유치원 담임교사 재직중

ㅅ

사그작사그작
사박사박 사박
사샤샥 사샤샥
쉬잉
슥슥

ㅇ

아삭아삭
와글와글 물감요정
우당탕
우르릉
위잉

사그작사그작

사그작사그작 초오록 낙엽을 밟고
사그작사그작 노오란 낙엽를 밟고
사그작사그작 빠알간 낙엽을 밟고
사그작사그작 까아만 돌맹이를 밟고 올라가니
예쁜 참나무 한 그루

통 데구르르르르 아야
누가 날 찌른거야
선인장인가? 장미가시인가?

밤 세 톨 삼형제 집이 떨어졌네.

사박사박 사박

사박사박 엄마 손에 구두 한켤레
사박사박 아빠 손에 운동화 한 컬레
사박! 아이 뛰어가다 멈추고
뒤돌아보니 바다 옆에 모래 발자국이 구불구불

사박사박 엄마 멈추고
사박사박 아빠 멈추고
사박! 뒤돌아보니
서걱서걱 모래 위에 그림 그리는 아기천사

사샤샥 사샤샥

세상 어디든 시옷 소리가 있어요
개미 옆에 귀를 기울이면
사그작 사그작 과자씹는 소리
나무 옆에 귀를 기울이면
사샤샥 사샤샥 바람과 주고받는 대화소리
바다에 귀를 기울이면
사아사아 파도치는 소리
하늘에 귀를 기울이면
앗 간지러워
쉬잉쉬잉 귀를 간지럽히는 소리

쉬잉

차가운 바람이 쉬이이잉 다가와 흔들며
민들레야 너는 무슨색이니?
나는 초록색이야

시원한 바람이 쉬이잉 다가와 흔들며
민들레야 너는 무슨색이니?
나는 노란색이야

더운 바람이 쉬잉 다가와 흔들며
민들레야 너는 무슨색이니?
나는 하얀색이야

바람이 쉬잉 한 바퀴를 돌며 물어요
나의 꼬리가 되어 함께 여행하지 않을래?

슥슥

다람쥐 한 마리 슥슥 쏙
다람쥐 두 마리 슥슥 쏙
다람쥐 세 마리 슥슥 쏙
도토리 주워 집으로 달려갔다네

다람쥐 네 마리 슥슥 쏙
다람쥐 다섯 마리 슥슥 쏙
다람쥐 여섯 마리 슥슥 쏙
밤송이 주워 집으로 달려갔다네

다람쥐 일곱 마리 슥슥 쏙
다람쥐 여덟 마리 슥슥 쏙
다람쥐 아홉 마리 슥슥 쏙
씨앗 주워 집으로 달려갔다네

아삭아삭

아침부터 복숭아 통통통 썰어
아삭아삭
아주 큰 수박 한 통 쩌억 벌려
아삭아삭
아오리사과 석석석 썰어
아삭아삭
아이고 배야 병원가니 배탈났네

와글와글 물감요정

요정들이 와글와글 모여 하늘에 물감놀이를 해요
기지개 켜고 와글와글 모여 파랑 물감 쓱싹
간식먹고 와글와글 모여 하얀 물감 쓱싹
와그작! 요정이 실수로 떨어트린 빠알간 물감에
하늘이 점점 물들어가네

괜찮아 구름이 지워줄거야
내일도 와글와글 모여 물감놀이하자

우당탕

길가에 핀 풀꽃 들꽃

우당탕 공이 굴러와도
우당탕 아이가 뛰어와도
우당탕 강아지가 뛰어와도
언제나 그 자리에 서 더욱 빛나네

공주우러 온 아이
풀꽃 들꽃 바라보며 노래부르네
공주우러 온 강아지
풀꽃 들꽃 바라보며 뒹구네

우르릉

우르릉 우릉 우르릉 우릉
하늘에서 슬픈 물방울이 뚝뚝 내려와 하는 말
도와줘요 도와줘요
잔뜩 화난 먹구름과 먹먹구름이 부딪히며 하는 말

우르릉 쾅쾅 내가 힘이 세
우르릉 쾅쾅 아니야 내가 더 세

지켜보던 해님이 웃으며 하는 말
너희 모두를 안아줄게

위잉

잠자리 한 마리 위잉위잉 장다리 꽃에 앉았다
살금살금 놓쳤다

먹이 찾으러 나무에 가니
알 낳으러 물가에 가니
비행하러 풀밭에 가니
놀러 놀이터에 가니

위잉위잉 위잉위잉 위잉위잉
친구 만나러 갔구나

김기선

남서울대학교에서 아동문학박사 학위를 받고 아동문학가, 아동교육전
문가로서 활동을 하고 있습니다.
저서로는 아동학 관련 교재 다수와 동화 『한여름 밤의 가출』, 『방구뿡
삼총사』, 『동구야 생일 축하해』, 『나는 할 수 있어』, 『타임머신이 아
그작 아그작』 동시집으로 『꿈꾸는 산책』, 『모음 말놀이 동시집』 등이
있습니다.

ㅈ

자장자장 재잘재잘
중얼중얼
지글지글
지지배배
직직 작작

ㅊ

찰그랑
찰찰이
척척
첨벙첨벙
칙칙폭폭

자장자장 재잘재잘

자장자장 우리아가
코코 잘도 잔다
자장자장 우리아가
꿈나라에서 노래부르네
움찔 움찔 잠이 깨네
자장 자장 잘자라

자장자장 우리아가
재잘재잘 끙끙끙
맛있는 간식 달라고
재잘 재잘 재잘
친구들과 모두모여
파티를 한다고
재잘 재잘 재잘
왁자지껄 파티가 열리네

중얼중얼

아침에 일어났다
침대에 걸터앉아 두손을 모았다
눈을 감고 중얼중얼
기도한다
엄마가 소리쳤다 일어나라고
엄마는 모른다
내가 중얼중얼 우리 가족을 위해 기도했는데

공부를 하다가
눈을 감고 중얼중얼
기도한다
어디선가 소리가 날아온다
어서 일어나라
선생님은 모른다
내가 중얼 중얼 우리 나라를 위해서 기도했는데

지금은 중얼중얼 나를 위해서
혼잣말로 기도한다

지글 지글

지지 지글지글
맛있게 만들어요

지지 지글지글
엄마 무엇을 드릴까요?
계란 샌드위치 주세요

지지 지글지글
계란은 톡톡 톡톡톡
후라이팬에 넣어요
신나게 만들어요

지지 지글지글
식빵을 올려요
잼을 발라요
신나게 만들어요

지지 지글지글
케찹을 쭉쭉 쭉쭉쭉
즐겁게 만들어요

지지배배

아침에 일어나
가을 들판에 앉아요
지지배배 노래를 불러요
지지배배 지지배배
행복의 노래를 불러요

아파트 숲 위를 오르락 내리락
지지배배 노래를 불러요
내가 최고의 음색을 가졌다고
지지배배 지지배배
자랑의 노래를 불러요

하루종일 오르락 내리락
지지배배 노래를 부르며
하루해가 집니다

직직 작작

우리 아빠 걸음걸이
저벅 저벅 저벅
직 직 직직직
구두 신고 걷는 소리

우리 엄마 걸음걸이
쌩쌩 쌩쌩쌩
똑 똑 똑똑똑
공주구두 신고 걷는 소리

우리 아기 걸음걸이
뒤뚱 뒤뚱 뒤뚱
작 작 작작작
운동화 신고 걷는 소리

작작:
1. 신발 따위를 가볍게 끌면서 걷는 소리.
2. 글씨의 획을 함부로 긋거나 종이 따위를 마구 찢는 소리. 또는, 그 모양.
   [큰말] 직직 · [센말] 짝짝.

찰그랑

찰그랑 찰그랑~
잘그랑 잘그랑~
풍경소리

산새도 들새도
우리아가 잠자라고
찰그랑 찰그랑

뻐꾹이도 다람쥐도
강아지도 잠자라고
찰그랑 찰그랑

찰찰이

찰찰 찰찰찰
악기 흔드는 소리

두 손을 높이 들고
찰찰 찰찰찰

머리도 흔들고
엉덩이도 실룩 실룩
다리는 높이 높이
찰찰 찰찰찰

우리 함께 춤을 춰요
찰찰 찰찰찰

척척

내가 놀던 장난감
제자리에 척척

의자 위의 오빠 공책
제자리에 척척

내동생 인형
제자리에 척척

아빠안경
제자리에 척척

떨어진 휴지조각
휴지통에 척척

제자리에 척척
나는 척척 박사

첨벙첨벙

타박타박 걷다가
물속을 들여다 보았네
무심코 작은 돌 주워
물속에 던져버렸네
첨벙 첨벙 첨벙 조르르
물결을 타며 멀리가네

길쭉한 돌을 골라서
야구선수처럼 휙~
포물선을 그리며
첨벙 첨벙 ~ 또르르

동글동글 예쁜 돌을 골라서
엉덩이를 흔들며 휙~~
비행기처럼 날아서
첨벙 첨~벙 첨~~벙 조르르

아주 아주 작은 돌을 골라서
슈퍼맨 되어 팔을 쭉펴고 휙~~~
하하하 호호호
첨벙 첨벙 또르르~

칙칙폭폭

애들아 애들아~
블록 기차가 나가신다
칙칙폭폭 빨리 빨리 타세요
한명 두명 세명~
다 탔나요?
칙칙폭폭 칙폭칙폭 출발합니다
칙칙폭폭 놀이 동산에 갑니다

칙칙폭폭 신나게 노래 부르며
앞으로 옆으로 뒤로 돌아돌아
블록기차 칙칙폭폭 나아갑니다
힘차게 칙칙폭폭 칙폭폭
우리모두 사이좋은 친구들
칙칙폭폭 칙칙폭폭
웃으며 떠나는 블록 기차

김지현

아인컨설팅 대표
정사서 2급
공저 책인사 프로젝트 『치유의 숲』

ㅋ

콩닥콩닥
콩작콩작
콸콸콸
쿵쿵쾅쾅
키득키득

ㅌ

터벅탕탕
터벅터벅
톡톡
투덜투덜
투루루

71

콩닥콩닥

언제든 나는 100점을 맞는 수학박사
매일 매일 100점을 맞는 수학박사
박사님이 잘하는 것은 계산기 쓰기

일 더하기 일은 콩콩 닥닥
박사님이 잘하는 것은
엄마 아빠 몰래

이 더하기 이는 콩콩 닥닥

계산기 소리마다 내 가슴이 콩닥콩닥

콩작콩작

꽃잎은 풀밭에 콩작콩작 춤을 추네
나비들은 콩작콩작 날아와
가을 바람에 맞춰 콩콩콩 춤을 추네

햇님이 저물어 가는 시간에도
아이들은 작은 콩잎 손 모아
콩작콩작 흥겹게 노래 부르네

콸콸콸

야-호!
이세 밖으로 나갈 수 있어.
모두들 준비 됐지?

하나, 둘, 셋!

겨우내 얼었던 계곡 얼음 속에
숨어있던 봄의 요정들이
콸콸콸
모두들 함께 소리치는 소리

쿵쿵 쾅쾅

안녕? 오늘의 밤이야.
새로운 밤이지.
오늘의 밤에선 뭐할까?

예쁜 아기 토끼들이 쿵쿵 쾅쾅 달빛을 만들지
예쁜 아기 토끼들이 쿵쿵 쾅쾅 아침을 만들지

내 밤에서는 쿵쿵 쾅쾅
아기 토끼들이랑
재미있게 모든 걸 만들 수 있어

나랑 같이 밤을 만들래?

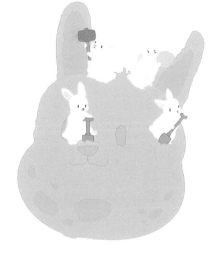

키득키득

네모난 구멍이 모여서 키득키득
네모난 구멍에
네모난 구멍이
딱딱! 맞아 키득키득!
두 입 크게 벌려보아도 자꾸 키득키득
웃음만 나와
웃음소리로 하모니카를 불지

탕탕

인기쟁이 그대는
내 마음을 우당탕하게 해

머리부터 발 끝까지
생글생글 그대는
내 심장을
쿵쿵 떨어지게 해

스치듯 지나가는 향기에 탕탕
내 두 눈에 하트 모양을 새기네

톡톡

톡톡talk토크
가장 좋아하는 이불 속 토크talk

삐약삐약 귀여운 목소리가
지친 내 하루를 토닥토닥 위로해

눈물이 톡 떨어지는 날에도
이불 속 우리의 비밀스런 토크talk로
눈물은 쏙 들어간단다.

투덜투덜

"벌써 가라고? 이건 아니잖아~
난 아직 가기 싫단 말이야~"

은행나무의 은행잎이 투덜투덜

"울긋불긋 예쁘다고 나를 우러러 볼 때는 언제고!
벌써 가라고?"

단풍나무의 단풍들이 투덜투덜

"죄송합니다만, 이제 제 차례인 것 같습니다.
거추장스러운 잎들을 툭툭 떨어지셔야죠!"

부지런한 크리스마스 트리가 투덜투덜

투루루

이거는 배고프다는 소리에요. 투루루~
이서는 졸립다는 소리에요. 투~루루~
이거는 심심한다는 소리에요. 투투! 루루~
이거는 쉬야했다는 소리에요. 투! ! 루루

이거는 말 안해도 알죠?
엄마 아빠를 사랑한다는 소리에요. 투! 루! 루!

터벅터벅

파릇파릇한 검정 나무도 있어
뭉게뭉게 검정 하늘도 있어
두근두근 검정 하트도 있어

나만 다시 필통 속으로 쏘옥
터벅터벅 들어가

한은숙

가천대학교에서 박사 공부를 했고, 동서울대학교 겸임교수, 가천대학교 미래교육원 외래교수를 했습니다. 현재는 어린이집 대표로 일하고 있으며, 공저로 동시집 『꿈꾸는 산책』, 『모음 말놀이 동시집』, 『자음 말놀이 동시집』, 『의성어 말놀이 동시집』 등이 있습니다.

ㅍ

팡팡 파바방
포로롱포로롱
퐁당퐁당
푸더덕푸더덕
푸우우푸우우

ㅎ

하암하암
할짝할짝
헉헉헉헉
후드득 후드둑
흐으응흐으응

팡팡 파바방

호수 위에 쏟아지는
불꽃 무지개
빨주노초파남보
밤하늘이 꽃잎 잔치다

슈우욱 팡팡 파바방
슈우욱 팡팡 파바방
와아아아~~
와아아아~~
환호성이 쏟아진다

아빠도 신나서 싱글벙글
엄마도 신나서 방긋방긋
누나도 신나서 방글방글
온 가족이 신나는 축제다

다음 불꽃놀이에는 할머니도 초대해야지

포로롱포로롱

어느 잔잔하고 맑은 새벽
포로롱포로롱
풀잎에 이슬이 방울방울

포로롱포로롱
울퉁불퉁한 바위 위에
뾰족뾰족한 나뭇가지 위에

포로롱포로롱
푸르른 풀잎 위로
매끈한 나뭇잎 위로

모두가 잠든 조용한 새벽
포로롱포롱
새벽이슬이 내려앉는다

퐁당퐁당

개구리 한 마리
우물가에 퐁당

개구리 두 마리
우물가에 풍덩풍덩

세 마리 네 마리
퐁당퐁당 풍덩풍덩

친구들아 모두 모여라
개구리 왕자와 신부의 결혼식에
다 함께 행복한 노래 부르자

푸드덕푸드덕

매일 아침 첫 새벽
지붕 위 수탉 우는소리
꼬끼오 꼬끼오!!

푸드덕푸드덕
암탉들이 날아오른다
푸드덕푸드덕
힘차게 날게 짓 한다
푸드덕푸드덕
담장까지 겨우 날아오른다

푸드덕푸드덕
저 높은 지붕까지 날아오르면
수탉이 보는
꼬끼오를 볼 수 있을까

푸우우푸우우

개울가에 송사리
<u>스르르스르르</u> 헤엄친다

맑은 하늘 위로
<u>푸우우푸우우</u> 물방울을 쏘아 올린다

<u>스르르스르르</u>
<u>푸우우푸우우</u>
<u>스르르스르르</u>
<u>푸우우푸우우</u>

밤새도록 물방울을 쏘아 올린다
개울가에 장대비가 오려나보다

하암하암

바닷가 모래 아래
여행 떠나는 거북이가
눈 비비며 하암하암

주머니에
옷도 넣고
신발도 넣고
간식도 가득 넣고

아이 무거워라
고개가 꾸벅꾸벅
하품이 하암하암
눈꺼풀이 스르륵 스르륵

거북이는 얼마나 먼 여행을 떠날까?

할짝할짝

기린은 달달한 과일을 좋아해

할짝할짝
달달한 포도를 먹어볼까
상큼한 사과를 먹어볼까

아니 아니
할짝할짝
향기로운 아카시아 잎을 먹어볼까
살구나무 잎도 좋아

아니 아니
할짝할짝
긴 목을 숙이고
바위 틈에 흐르는 물 한 모금이 최고지

헉헉헉헉

건강한 우리 가족
숨소리를 들어보세요

언덕을 오르는
아빠 숨소리 헉헉헉헉
엄마 숨소리 후후후후

내리막길을 내려오는
내 숨소리 학학학학
강아지도 헥헥헥헥

건강한 숨소리
헉헉헉헉
후후후후
학학학학
헥헥헥헥

매일매일 산책하는
우리 가족의 건강한 숨소리

후두둑후두둑

밤사이 함박눈이 소복소복
온 세상이 하얀 눈밭이다

나뭇가지에도
장독대에도
홍시감에도
함박눈이 소복소복

후두둑후두둑
소복소복 함박눈이 미끄러진다
홍시감도 미끄러진다

까가각 까가각
부지런한 까치들
홍시 밥 먹느라 바쁘다

흐으응흐으응

봄바람이 살랑살랑
형님들이 마실 나갈 준비한다
형님 따라 쫓아 나선다

봄바람이 살랑살랑
콧바람이 살랑살랑
차가운 봄바람에 에치에치
콧물이 주르륵
코를 풀어보자
흥흥 힝힝
다시 흥흥 힝힝

흐으응 흐으응~~~~
흐으응 흐으응~~~~
힘차게 코푸는 형아의 소리다

남궁기순

유아교육을 전공하고 시인, 작가로 활동하고 있습니다. 나래PBL교육
연구소 소장과 상상나래 출판사를 운영하며 그림책, 동화책을 만들고
있습니다. 『행복한 동행』, 『엄마를 위한 그림책 인문학』, 『영원한 껌딱
지!』, 『네 귀는 특별하단다』, 『솔방울의 꿈』등 책을 펴냈습니다.
21년 샘문에서 시부문 신춘문예 '살만한 세상'이 당선되었습니다.

꼬르륵 가게

꼬르륵 가게
문이 차르륵 철커덕!

꼬르륵꼬르륵 소리
초록 야채 먹고 싶으면 초록 꼬르륵
빨강 고기 먹고 싶으면 빨강 꼬르륵

꼬르륵 소리에 맞춰 나오는 것도 별난 음식
꼬르륵 가게 문 닫기 전에 어서 오세요

뭘 드실까요?
꼬르륵 소리만 들어도 다 알아요
별난 음식 특별히 만들어 드려요
꼬르륵꼬르륵 우리 동네 별난 꼬르륵 가게

꾀꼴꾀꼴 꾀꼬르르

나뭇가지에 부끄럼쟁이 꾀꼬리
꾀꼴꾀꼴
부끄러워서 꾀꼴꾀꼴
목청 높이 울어도 꾀꼴꾀꼴

나무 꼭대기에 씩씩한 꾀꼬리
꾀꼴꾀꼴 꾀꼬르르
우렁차게 꾀꼴꾀꼴 꾀꼬르르
천장 부서지도록 꾀꼴꾀꼴 꾀꼬르르

땡그랑 동전

땅그랑 한 푼 주세요
아빠가 출근할 때 땡그랑 한 푼
꺼억~
맛있다!

땅그랑 한 푼 주세요
엄마가 시장 갈 때 땡그랑 한 푼
까약~
맛 좋다!

땅그랑 한 푼 주세요
할머니가 마실 갈 때 땡그랑 한 푼
끄윽~
배불러!

땅그랑 한 푼 땡그랑 두 푼 땡그랑 세 푼
땡그랑 땡그랑 땡그랑
우리 집 땡그랑 저금통 배불러 배불러!

떽떽!

떽떽!
시끄러운 소리
젖 떼라고 야단야단
우랑우탄 어미가 새끼에게 떽떽

떽떽!
으르렁거리는 소리
먹잇감 내놓으라고 고래고래
호랑이 형이 아우에게 떽떽

떽떽!
뒤죽박죽 소리
장터에서 물건 사라고 시끌시끌
방울 장사 못 깎는다고 떽떽

뽀글뽀글

입 속에서 치약이 뽀글뽀글 퐁퐁
물 한 모금 넣고 퉤퉤
뽀글뽀글 퐁퐁

싱크대 그릇 안에 뽀글뽀글 퐁 포르르
수돗물이 쪼르르륵 솨솨
뽀글뽀글 퐁 포르르

맛있는 된장찌개 뽀글뽀글 보그르르
고기, 야채 듬뿍 뽀글뽀글 칙칙
뽀글뽀글 보그르르

뽀드득뽀드득

하얀 눈만 기다렸어요
소복소복 눈 밟는 소리 뽀드득뽀드득

뒷집 멍멍이가 밟기 전에
하얀 눈 뽀드득뽀드득 푹푹 걸어요

호호 호호 날이 추워도 괜찮아요
뽀드득뽀드득 눈이 쌓이면 들리는 아이들 소리

야호! 신난다!
뽀드득뽀드득 소곤소곤 눈의 소리
깨끗해져라! 깨끗해져라!

쌔근쌔근

싸리문 밖에서 여우가 기웃기웃
문지방 앞에서 기웃기웃
쌔근쌔근 아기 잔다고 해도 기웃기웃

여우가 해 질 녘까지 왔다 갔다
문지방 옆에서 왔다 갔다
쌔근쌔근 아기 잔다고 해도 왔다 갔다

캥캥 캥!
아기하고 놀고 싶다
다다다다 *끌끌끌끌 끌끌끌끌*
꼬리를 흔들흔들 눈은 껌벅껌벅
쌔근쌔근 잠이 들었네!

쓱쓱싹싹

아가 얼굴에 묻은 얼룩
휴지로 *쓱쓱싹싹*
아가 손에 묻은 얼룩
휴지로 *쓱쓱싹싹*

엄마 얼굴에 묻은 얼룩
휴지로 *쓱쓱싹싹 쓱쓱싹싹*
엄마 손에 묻은 빨간 얼룩
휴지로 *쓱쓱싹싹*

휴지가 온통 빨간색이네
아기는 코를 킁킁
코가 벌렁벌렁
쓱쓱싹싹 매워라 매워!

쩌렁쩌렁

쩌렁쩌렁 소리 싫어!
조용한 소리로 들려줘라
쩌렁쩌렁 소리에 놀란다
자라도 기절하고
토끼도 깜짝 놀라 쓰러지고
쩌렁쩌렁 소리에 잠든 아기도 깬다

쩌렁쩌렁 소리 시끄러워 못 살아!
쩌렁쩌렁 매미 소리에 이사 가는 동물 친구들
그만 좀 해라!
시끄러운 소리에 새끼 동물들 기절하고
깜짝 놀란 새끼 사슴도 뛰어가다 쓰러지고
쩌렁쩌렁 소리에 못 살겠다

쪼르륵

쪼르륵 물을 기울여
쪼르륵 컵에 담아 꼴깍꼴깍
쪼르륵 물을 따라
쪼르륵 함지박에 담아 벌컥벌컥

쪼르륵 물이 흐르면
쪼르륵 도망가는 생쥐 식구네
쪼르륵 물소리에 기웃기웃
집에 물 샐까, 안절부절 생쥐 식구네

쪼르륵 물소리 들리면 엄마의 박수 소리
우리 아가 화장실에서 나는 쪼르륵 소리
어여쁜 우리 아가 시원하지!

상상나래 동시세상7
의성어 말놀이 동시집

발 행 일   2024년 2월 26일
지 은 이   어성애, 박경숙, 김차순, 류나경
　　　　　 김기선, 김지현, 한은숙, 남궁기순
기획관리   권숙희, 김기선
마 케 팅   박경숙, 이정아
편집총괄   장명화
펴 낸 이   남궁기순 펴낸곳 상상나래 등록번호 제2022-000051호
주　　소   서울시 강동구 동남로81길 96, 501호
대표전화   02-441-7682
이 메 일   sangsangnarae@ssnbooks.com
I S B N   979-11-7195-024-9   73810

값 11,700원